MARIE POTVIN

Zoélie

l'allumette

Gouvernement du Québec – Programme de crédit d'impôt pour l'édition de livres – Gestion Sodec

info@lesmalins.ca

Éditeur: Marc-André Audet
Éditrice au contenu: Katherine Mossalim
Auteure: Marie Potvin
Directrice artistique : Shirley de Susini
Conception et mise en page: Shirley de Susini
Illustratrice: Estelle Bachelard
Correcteurs: Corinne De Vailly, Fanny Fennec, Jean Boilard

Dépôt légal – Bibliothèque et Archives nationales du Québec, 2016
Dépôt légal – Bibliothèque et Archives Canada, 2016

ISBN: 978-2-89657-362-2

Imprimé au Canada

Nous reconnaissons l'aide financière du gouvernement du Canada par l'entremise du Fonds du livre du Canada pour nos activités d'édition.

Les éditions Les Malins inc.
Montréal, QC

Pour Sandrine
et Thierry

Table des matières :

La patronne, c'est moi !..............9

Pauvres méchants.................... 19

Le garçon soleil........................ 41

Paaaafffff................................ 61

Flaque de bouette 69

Ma tête ne tourne pas rond !... 111

Le kaléidoscope 123

Des questions bizarres...........135

Trottoirophobie 161

Réveille-toi, petite fille.......... 169

Tout est possible ! 201

Des questions à la tonne....... 221

Le récit de Cléo 239

Tant de questions 253

Le mot de Zoélie

D'après ma cousine Zabeth, la magie n'existe
pas, pas plus que les vampires,
les zombies, les fées, les trolls ou les fantômes.
Par contre, mon grand-père m'a toujours dit
que rien n'était impossible, que dans la vie,
il faut explorer chaque avenue et
considérer chaque possibilité. Ma grand-mère,
de son côté, m'encourage à être ouverte
d'esprit, tant que je me fie à mon jugement
pour séparer le vrai du faux.
Ce que je sais, à présent, c'est que l'amitié
sincère et la confiance sont plus
fortes que la haine et la peur. Que les amis
peuvent se présenter à nous sous
différentes formes, même les plus surprenantes.
Qu'il faut surtout savourer l'instant présent.
C'est ce que je compte faire...

Zoélie Lalonde, 11 ans.

Chapitre 1

La patronne, c'est moi!

J'ai de grandes oreilles et je suis trop maigre.

« Tu es délicate ! », me corrige maman, presque tous les jours.

Mais elle dit ça pour que j'arrête de me plaindre. Pour elle, s'en faire avec son

apparence, c'est une perte de temps.

Elle ne comprend pas le cauchemar que je vis. Je dois souvent me défendre contre les commentaires cruels des autres, surtout d'un certain Baptiste Biron, qui me surnomme l'allumette. Ma cousine Zabeth m'a suggéré de l'ignorer. C'est difficile de faire comme s'il

n'existait pas. Baptiste parle fort et se retrouve toujours sur mon chemin. Il cherche les occasions de m'embêter.

À cause de lui, je suis constamment sur le qui vive. Est-il dans les parages ? Va-t-il encore me dire des choses méchantes ? Me poussera-t-il contre un mur ? Me fera-t-il un autre mauvais coup, comme me lancer un verre de jus au visage ? Un jour, c'était une soupe qu'il trouvait trop tiède, au dîner à l'école. J'ai dû porter mes vêtements de sport : un short et un t-shirt. C'était en janvier, il faisait – 400 000 °C.

À part Zabeth (et c'est ma cousine, donc elle ne compte pas), je n'ai pas vraiment d'amis. Mon père tente de me rassurer en me disant que l'important, c'est la qualité de l'amitié, et non la quantité. J'imagine qu'il a raison, sauf que...

0 + 0 = 0

Ce n'est pas ce que j'appelle une « grosse quantité ».

J'ai demandé à mon père de m'inscrire au karaté, mais il n'a pas le temps. Toujours coincé devant son ordinateur ou au téléphone à répondre à ses clients ; il boit du café et prend ses courriels.

Il m'a répliqué d'aller voir ma mère. Maman m'a dit que c'était à mon père de le faire. C'est un cercle vicieux sans fin. J'ai donc abandonné. À la place, je cherche des leçons sur YouTube. En japonais, c'est un peu compliqué, mais je fais mon possible.

chapitre 1

Mes parents sont séparés depuis peu de temps. Papa vient d'emménager à deux rues de notre maison. Je peux aller et venir d'une demeure à l'autre à ma guise, tant que je leur dis où je vais. Ils me disent un « OK » distrait et hop ! allô la liberté.

Je suis en quelque sorte la patronne de mes activités. Maman sort l'aspirateur ?

Je cours chez papa. Mon père attend la visite de sa vieille tante Françoise qui sent le parfum qui pue ? Hop ! je file chez maman. C'est pratique, si je regarde le bon côté des choses... Je suis libre comme l'air tant que je rentre pour la nuit dans l'une des deux maisons !

Par contre, il y a des jours où j'aimerais que

mes parents apprécient ma présence. Ce serait bien s'ils me disaient : « Non, aujourd'hui, je te garde avec moi ! » Mais on ne peut pas tout avoir…

Chapitre 2

Pauvres méchants

Notre cher voisin, monsieur Santerre, n'entretient pas son terrain avec beaucoup d'attention. Ce qu'il y a de bien, par contre, c'est que les fleurs sauvages y poussent à volonté. Je cueille donc la plus belle marguerite pour en

arracher les pétales un à un. Au lieu du rituel « il m'aime, il ne m'aime pas », je récite à chaque pétale :

le centre commercial… la rue Principale… chez Zabeth… le magasin de bonbons… le centre commercial…

Oh, dernier pétale !

chapitre 2

Roulement de tambours... Le centre commercial, ce sera ! Ça tombe bien, j'ai justement quelques dollars à dépenser.

J'arrive sur la rue Principale et je stoppe net. Mon cœur vient de cesser de battre ; j'ai les paumes toutes moites et je n'ai plus une seule goutte de salive. La raison de ma panique soudaine est simple : Baptiste Biron et ses amis sont là. J'ai peur d'eux. C'est terrible, cette frayeur qui vous prend à la gorge et qui vous paralyse. Moi qui pensais avoir la paix depuis que l'année scolaire est terminée, il semble que je me sois trompée.

chapitre 2

— Aye, c'est l'allumette aux oreilles en portes de grange ! Allumette ! Allumette !

Crotte de crapaud, ils m'ont vue. Ils marchent dans ma direction. Ça n'en prend pas plus pour que je pivote sur mes talons et active le pas. J'en ai mal aux mollets tellement je pousse la cadence pour déguerpir, sans en avoir l'air. Si je cours,

ils sauront que je les fuis comme un lapin devant une meute de loups affamés. Plus je leur laisse voir ma terreur, plus ils se sentent forts. Je dois absolument me calmer.

Les mains moites et les pieds engourdis, je tourne sur l'avenue de l'Église. La maison de ma mère n'est pas loin. Eux, ils avancent en discutant et en riant. Ils me montrent du doigt.

— L'allumette ! On a quelque chose pour toi ! me crie Baptiste.

— Ouais... tu vas adorer, ajoute Simon Brodeur, le garçon le plus grand et le plus fort de l'école.

L'un des plus méchants, aussi. Baptiste et lui forment un duo monstrueux.

— Ha ! ha ! ha ! font les deux autres.

Crotte de hibou, je ne peux pas aller chez ma mère, Baptiste saura où j'habite et reviendra me harceler tout l'été.

Les jambes en guenilles et le ventre crispé, je continue donc mon chemin en me répétant « Je vais survivre... je vais survivre... »

pour m'encourager. Après quelques pâtés de maisons, je me retrouve devant le cimetière, où je bifurque. Je regarde derrière moi. Ils ne semblent pas m'avoir vue tourner ici. Devant moi, il y a une multitude de pierres tombales. Je n'ai qu'à me cacher derrière l'une d'elles et espérer qu'ils ne me trouveront pas.

Lorsque je suis certaine d'être hors de leur champ de vision, j'en profite pour courir. Essoufflée, je plonge derrière une pierre blanche. Cette dernière semble très âgée tellement elle est usée et striée de moisissures noires. Je me colle à elle malgré les toiles d'araignée et la mousse verte qui recouvrent sa base.

Oh ! Catastrophe. Je les entends parler.

— L'allumette ! Où es-tuuuu ?

Je ravale ma salive. Je sens que je vais manquer d'air.

— S'il vous plaît !
Je murmure comme si je parlais à la pierre tombale sur laquelle je colle ma joue.
Si quelqu'un est là (ça y est, je suis devenue folle !
Je parle aux objets !), je vous en supplie, aidez-moi...

La bande de Baptiste est encore plus près, j'entends même leurs pas sur le gravier.

— Tiens, tiens ! Voilà notre allumette ! Baptiste ! Je l'ai trouvée ! annonce Simon. Elle n'a pas encore fait couper ses oreilles ! Dommage...

— J'ai le papier sablé ! répond Baptiste. Attrapez-la !

On va voir si sa face s'allume quand on la frotte !

Je dois me lever et m'enfuir, mais mes jambes refusent de m'écouter. Je suis paralysée, comme si la pierre tombale blanche m'attirait, tel un aimant.

Je sens une main empoigner sur ma cheville gauche, puis c'est la droite qui est capturée.

Simon Brodeur me tient les jambes. Son ami attrape mes poignets. J'ai beau me débattre de toutes mes forces, il n'y a rien à faire : ils sont plus forts que moi. Me frotteront-ils vraiment avec du papier sablé ? Troublée par cette possibilité, je ferme les yeux pour chasser cette idée terrifiante de mon esprit.

chapitre 2

Soudain, je ne ressens plus de pression sur mes chevilles ni sur mes poignets. Soit ils m'ont lâchée, soit je suis morte. J'ouvre les yeux. Le soleil semble avoir pris de la vigueur. La lumière est si forte... Suis-je déjà dans un lit d'hôpital en salle d'opération ? Ai-je donc perdu connaissance ? Une ambulance est-elle venue me chercher ? Oooh, nooooon...

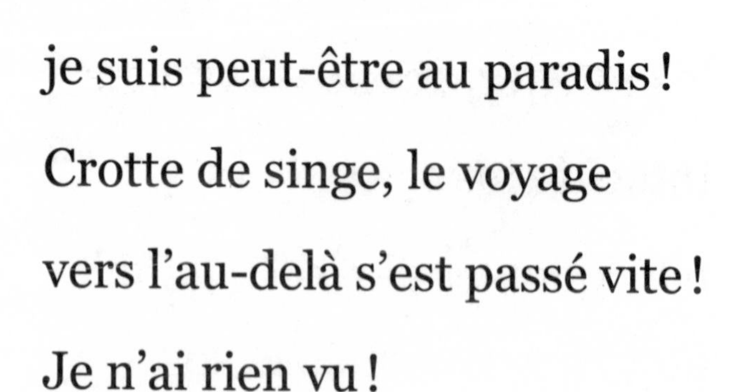

je suis peut-être au paradis ! Crotte de singe, le voyage vers l'au-delà s'est passé vite ! Je n'ai rien vu !

Pourtant, leurs voix sont encore si vives à mes oreilles que je ne suis pas certaine d'être morte. Je tâte sous mes cuisses... du gazon humide, et je sens toujours le granit froid dans mon dos. Si je suis encore dans le cimetière, contre la pierre tombale blanche, alors, pourquoi les garçons m'ont-ils lâchée ?

Toujours aveuglée par une lumière puissante, j'ai l'impression d'être en transe, calmée, en paix...
C'est étrange, comme sensation.

— Ne bougez pas, mademoiselle, fait une voix

étrangère à mon oreille.
Laissez-moi régler leur
compte à ces vauriens !

Mais... qui ?... quoi ?
Je ne le connais pas,
ce garçon blond qui sort de
nulle part...

Immobile, appuyée contre
la pierre tombale, j'observe la
scène sans pouvoir intervenir.
L'inconnu, sans même toucher
à mes assaillants, les fait

reculer juste en les regardant. Les quatre gars se mettent à se tortiller et à se replier sur eux-mêmes.

— Haaaaaa ! se lamente Baptiste, dont le teint vire au vert. J'ai la nausée, je vais vomir !

— J'ai mal au ventre... se plaint Simon.

— Il doit y avoir quelque chose de poison dans l'air,

ici ! Il faut partir avant qu'il soit trop tard ! s'écrie le troisième. Ça doit être des vapeurs de morts ! Pourtant, il n'y a pas d'odeur. Pourquoi j'ai si mal à la tête ?

Je les écoute raconter leurs maux avec stupéfaction. On dirait qu'ils n'ont même pas remarqué la présence de celui qui les force à s'éloigner de moi.

Le quatuor m'abandonne pour sortir du cimetière en se tenant le ventre, la tête et la gorge.

— Je ne mettrai plus jamais les pieds ici ! affirme l'un d'eux.

— Moi non plus, renchérit Baptiste. Venez, les gars !

Je regarde, stupéfiée, mes ennemis fuir les lieux. Je suis encore sous le choc.

Ils sont tous tombés malades en même temps. Comment est-ce possible ?
Et pourquoi moi, je n'ai aucun symptôme ?

Un peu remise de mes émotions, je regarde autour de moi. Je suis seule parmi les tombes. J'ai beau tourner la tête dans tous les sens, le garçon blond a disparu.

Chapitre 3

Le garçon soleil

Même si je suis en vacances, mes parents, eux, c'est une autre histoire. Ils travaillent tout le temps. Il est tôt et je sais que ma cousine Zabeth dort encore, à cette heure. Avec un peu de chance, Baptiste et ses amis aussi. Comme ils ont décidé de ne plus remettre les pieds au cimetière, c'est désormais mon havre de paix. Si j'arrive à m'y rendre avant qu'ils m'attrapent dans la rue...

Il ne faut pas que je m'empêche de sortir de chez moi à cause de ces vauriens ! Je dois retrouver mon mystérieux ami blond pour le remercier.

chapitre 3

J'ai marché vite et, heureusement, Baptiste n'était pas sur mon chemin. J'en suis très soulagée. Le cimetière est tout à fait calme. Le soleil est encore bas et caché derrière des nuages cotonneux. La ville semble assoupie. Normal, il n'est que 6 heures du matin. Encore troublée par les événements de la veille,

je ne dormais plus, alors, autant me lever !

Hier, j'étais si pressée et apeurée que je n'ai pas pris le temps de visiter l'endroit. Il y a toutes sortes de pierres tombales, avec des noms et des dates. Certaines sont récentes, mais celles qui me fascinent sont les plus anciennes.

chapitre 3

Tout au fond du cimetière se trouve un boisé avec une petite maison abandonnée, entourée de mauvaises herbes, de fougères et de marguerites. Avec ses fenêtres croches et sales, on dirait une chaumière pareille à celle des vieux livres de contes. Si je laissais aller mon imagination, je pourrais y voir les sept nains en sortir en sifflotant pour aller travailler à la queue leu leu, abandonnant Blanche-Neige derrière eux.

— Bonjour .

— Aaaah !

Je me retourne vivement. Le garçon blond qui m'a sauvée hier est devant moi et me fait un sourire timide. Il tient son chapeau troué dans ses mains.

— N'ayez pas peur, mademoiselle, je ne vais pas vous faire de mal, m'assure-t-il.

Il est drôlement vêtu, surtout avec la chaleur qu'il fait. Pantalon gris, un peu trop court, chemise blanche déchirée. Ses pieds sont nus et sales. Il doit être très pauvre pour être aussi mal habillé. De plus, ses cheveux sont coupés un peu croche, comme s'il les avait coupés lui-même. Par contre, son visage est très (très très !!!) mignon. Ses yeux sont d'un bleu marine que je n'ai jamais vu sur personne d'autre.

— Excuse-moi, c'est seulement que je ne m'attendais pas à te voir ici aussi tôt le matin.

— Ah... c'est le matin...

Il semble réfléchir, comme si, pour lui, l'heure de la journée était quelque chose de très compliqué.

— Tu ne le savais pas ?

— Oui ! Oui... bien sûr. C'est quoi, votre petit nom ?

Mon « petit » nom ? Mademoiselle ? VOUS ?

Wow... Il sort d'où, ce garçon ?

— Zoélie, et toi ?

— Euh... gène, dit-il en hésitant.

J'éclate de rire.

— Euuuh-gène ?

— C'est Eugène, dit-il. Pas Euuuuh-gène.

Oh, là là ! Il n'a pas l'air de trouver ça drôle. Il n'a peut-être pas le sens de l'humour.

— Enchantée, Eugène, dis-je, en lui tendant la main droite.

Il regarde ma main tendue sans bouger. Est-il impoli ou quoi ? C'est très gênant ! Je décide de changer de sujet.

— Qu'est-ce que tu as fait à Baptiste Biron et à ses amis, hier ?

Il pince les lèvres et regarde ailleurs, comme si je venais de lui poser une question compliquée.

— Rien de particulier… Ils n'ont eu que ce qu'ils méritaient, non ? répond finalement Eugène en haussant les épaules.

— Oui... mais... comment as-tu fait pour les rendre malades ?

Eugène regarde autour de nous, il semble chercher comment m'expliquer ce qui est arrivé hier.

— Dans ce boisé, il y a une plante toxique, m'explique-t-il. Quand j'ai vu qu'ils s'en prenaient à vous, j'ai pris du pollen des fleurs et je les en

ai saupoudrés pendant qu'ils ne regardaient pas.

— Ah... Mais toi, ça ne t'a pas rendu malade ?

— Non, mademoiselle, moi, je suis... euh... fort et solide.

— Il faudra me dire quelle plante est si dangereuse pour ne pas que je me rende malade aussi...

— Ne vous faites pas de mauvais sang, il n'en reste plus, me rassure-t-il.

— Est-ce que tu viens souvent au cimetière aussi tôt le matin ? Je pensais qu'il n'y avait que moi pour venir ici avant l'heure des poules...

— Vous voulez en faire le tour ? m'offre-t-il sans répondre à ma question.

— J'aimerais beaucoup revoir la pierre derrière laquelle j'étais cachée hier. Je n'ai pas eu l'occasion de lire vraiment ce qui était inscrit dessus.

— D'accord, suivez-moi !

Nous ne sommes pas très loin. Après quelque pas, il me désigne la fameuse pierre. Je m'en approche.

chapitre 3

— Hé ! Lalonde, c'est aussi mon nom de famille ! C'est peut-être mon arrière-arrière-arrière-arrière-arrière-grand-père !

Eugène secoue la tête pour dire non.

— Il n'avait que 12 ans. Ce serait bien surprenant qu'il soit votre arrière quoi que ce soit, me fait-il remarquer.

— Oh, tu as raison... 12 ans... Wow, pauvre de lui. J'aimerais bien savoir de quoi il est mort...

— Habitez-vous dans le coin ? me demande Eugène pour changer de sujet.

— À quatre minutes de marche, et toi ?

Heureuse d'avoir peut-être enfin trouvé un ami, je suis curieuse de savoir s'il habite tout près, mais il ignore ma question. Encore... Il regarde le ciel et semble tout à coup préoccupé.

— Est-ce que vous reviendrez... euh... me voir ?

— Oui… Tu veux qu’on se retrouve ici ?

Mais je n’entends pas la réponse d’Eugène, je suis aveuglée par les rayons du soleil. J’ai beau protéger mes yeux de ma main, je ne vois strictement rien ! Lorsque, finalement, la lumière se dissipe, Eugène a encore disparu.

Chapitre 4

Paaaaffffff...

Au matin, je me réveille avec une idée fixe. Rien ne peut me détourner de mon rendez-vous avec Eugène. Je dois retourner au cimetière, il le faut ab-so-lu-ment. Enfin, je crois que c'est là qu'Eugène m'attend, même s'il ne me l'a pas

vraiment dit. Où ailleurs
pourrais-je le rejoindre,
de toute façon ?

Ma mère sur les talons, qui
essaie de me faire manger
une moitié de banane parce
que je n'avais pas faim
pour déjeuner, je sors sur le
perron à toute vitesse.

Je n'aime pas les
bananes...

Je n'ai pas fait trois pas qu'un flash m'éblouit. Je vois des taches multicolores pendant plusieurs secondes. Je stoppe mon élan et maman, qui me suit de près, se cogne dans mon dos.

— Maman, qui vient de me prendre en photo ?

— Mais de quoi parles-tu ? Il n’y a que nous... Tiens, mange ! dit-elle en tirant sur mon menton de force.

Je cligne des yeux plusieurs fois, puis je regarde à nouveau. Maman a raison, il n’y a personne. Un morceau de banane dans la bouche, je rentre en vitesse pour aller chercher mes verres fumés. Mes yeux doivent être plus sensibles que d'habitude, autant les protéger pour le reste de la journée. Je m'apprête à descendre les marches, mais mon soulier se coince entre deux planches de bois. Je me sens tomber vers le ciment. Ça va faire mal...

Puis, le temps s'arrête. Tout se passe au ralenti, même le cri de maman semble irréel, comme

si quelqu'un avait joué

avec la bande sonore :

« Atteeeeeeeeeentiooooon

Zoooééééééliiiiiiiiiieeee ».

Je tombe (lentement) sur

le côté. Je me prépare

à ressentir une douleur

atroce à ma hanche gauche,

mon coude et mon épaule.

Mais juste avant que mon

corps percute le ciment,

c'est bizarre à expliquer...

il freine… jusqu'à ce qu'il
touche doucement le pavé.
Aucune souffrance…

Chapitre 5

Flaque de bouette

— Oh, mon Dieu, Zoélie ! Est-ce que tu t'es fait mal ?

Troublée par la surprise, je secoue la tête.

— Non... ça va.

— Es-tu sûre ? Tu es tombée de cinq marches en plein sur le ciment !

C'est impossible que tu n'aies mal nulle part. Allez, laisse-moi voir.

— Je suis seulement un peu éraflée, dis-je en mentant pour que ma mère me laisse tranquille.

Elle m'inspecte quand même de la tête aux pieds.

— Tu as raison, tu n'as rien. C'est incroyable !

— C'est génial, tu veux dire !

J'engloutis finalement ma bouchée de banane. Arrrk ! Ça m'apprendra à ne pas déjeuner. Demain, je mange un bol de céréales (même si je n'ai pas faim), comme ça, maman ne m'embêtera pas.

Satisfaite de me savoir en un seul morceau, elle me caresse les cheveux vite fait (elle n'a jamais beaucoup de temps pour ça) et rentre dans la maison.

Je marche d'un pas pressé vers le cimetière. J'ai hâte de voir Eugène et, en même temps, je suis nerveuse à l'idée d'être en contact avec lui. Indécise, je ralentis le rythme. J'ai besoin de réfléchir. Eugène semble cacher quelque chose. Sinon, pourquoi passerait-il son temps à disparaître sans dire au revoir ?

De plus, en me remémorant son allure, ses vêtements déchirés, trop petits, ses cheveux mal coupés... je me demande s'il a même une famille. Et cette chaumière dans le boisé m'intrigue aussi. Serait-ce possible que ce soit ça, sa maison ? Non...

j'imagine n'importe quoi. Bien sûr qu'un enfant ne peut pas vivre seul dans une cabane abandonnée ! J'en ai des frissons rien qu'à y penser.

Aujourd'hui, le ciel est gris et c'est tant mieux. Dernièrement, on dirait que le soleil est devenu fort. C'est inquiétant. Peut-être que mes yeux ont un problème. Je ne cours pas de risque, je garde mes verres fumés malgré les nuages.

En arrivant au dernier coin de rue avant le cimetière, j'entends des voix familières. Ah, non, pas eux ! De l'autre côté de la rue, Baptiste et Simon discutent en me lançant de curieux regards. Mon cœur s'emballe. Pourquoi sont-ils toujours là où je me trouve ? Je dois VITE entrer dans le cimetière, là où ils ne me suivront plus.

— Hé ! l'allumette ! Tu ne dis pas bonjour ?

Crotte de babouin ! Je fais quoi ? Je ne vais certainement pas les saluer comme si de rien n'était ! Je pourrais (devrais) leur répondre de me laisser tranquille, mais dès qu'ils sont là, je perds ma voix et tous mes moyens. On dirait que mon cerveau devient une flaque de bouette.

— Baptiste ! Regarde, l'allumette se prend pour une vedette avec ses lunettes noires ! Il ne fait même pas soleil, grande nouille ! Ha ! Ha ! Ha !

Les mots de Simon me heurtent et font mal. Mes lunettes me permettent de laisser couler mes larmes sans être vue en train de pleurer. Mes doigts se crispent en poings serrés. Je devrais continuer à marcher sans les regarder, mais je suis figée sur place, incapable de me défendre ou de fuir.

— Viens, allons lui dire bonjour, suggère-t-il à Baptiste.

Je relève mes lunettes pour mieux voir où je pourrais me cacher et un autre flash m'aveugle. C'est à ce moment-là que mes jambes se délient. Je me mets à courir de toutes mes forces. Eugène les verra-t-il à temps ? Crotte de canard,

nous ne nous sommes pas fixé d'heure de rendez-vous. Il est peut-être encore chez lui. De plus, il m'a dit qu'il n'y avait plus de cette herbe toxique qu'il a utilisée hier pour les arrêter. Simon est beaucoup plus grand et gros qu'Eugène et, en plus, ils sont deux ! Je n'ai aucune chance, cette fois !

chapitre 5

Si j'atteins l'entrée du cimetière avant qu'ils ne réussissent à m'attraper, peut-être que ça les découragera et qu'ils feront demi-tour. Cette pensée (ce petit espoir) me fait courir encore plus vite. Mon but est là, tout près... Leurs pas se rapprochent de plus en plus. J'entends leur souffle court derrière moi.

Puis, comme s'ils avaient perdu leurs forces, les deux garçons s'écroulent en même temps. Des « aïe » et des « oumph » sortent de leur gorge, alors que leur corps tombe sur le trottoir, juste à l'entrée du cimetière.

— Regarde où tu vas, espèce d'andouille ! accuse Baptiste en parlant à son acolyte.

— Pas de ma faute,
j'ai trébuché sur une grosse
pierre.

— Il n'y a même pas
de caillou sur le trottoir !
réplique Baptiste, enragé.

— Je te jure que mon pied
a heurté quelque chose !

Même si leur conversation
ridicule est très comique
et que je suis tentée de rire
d'eux à gorge déployée,

je m'éloigne sans dire un mot. Je suis à l'abri dans le cimetière, ils ne devraient plus m'embêter. Du moins, je l'espère...

Je suis à l'autre bout du terrain, le plus loin possible de l'entrée et de mes ennemis. Le boisé est à quelques pas. J'ai très envie d'aller fureter près de la chaumière abandonnée pour voir ce qui s'y cache.

— Bonjour, mademoiselle Zoélie.

Fébrile et rassurée d'entendre la voix maintenant familière d'Eugène, je me retourne, mais je ne vois personne.

— Par ici...

Je regarde à ma droite et je l'aperçois qui me sourit.

— Salut Eugène.

— Euhh... bien dormi ?

Drôle de question !

— Oui, très bien, et toi ?

— Oh, moi... j'ai des réserves de sommeil pour durer une éternité.

— Qu’est-ce que tu veux dire par là ?

— C’est une façon de parler. Avez-vous bien mangé ? demande-t-il, pour changer de sujet.

— Juste une banane, et toi ?

— Drôle de hasard, moi aussi.

Un silence s'installe. Je dévisage Eugène, cherchant à me souvenir si je l'ai déjà vu quelque part auparavant.

— Tu es nouveau dans cette ville ?

— Si on veut. Allons marcher un peu.

Je le suis, convaincue que nous sortirons du cimetière, mais, à la place, il me fait faire le grand tour. Il me parle des gens qui y sont enterrés. C'est comme s'il était là pour chacun. Il connaît tout sur tout le monde. Il me raconte même que certaines tombes ont été déplacées avec les années. Celles qui sont tellement vieilles que personne ne s'en offusquera. Dans une petite maison de pierres se trouve chaque curé qui a célébré

la messe pour la paroisse depuis le début du siècle dernier. Il n'y a pas à dire, Eugène est une encyclopédie ambulante !

— Comment peux-tu savoir tout ça ?

— Il y a des livres à la bibliothèque sur le sujet, me répond-il.

Il me pointe une pierre noire sur laquelle se dresse

toute une liste de noms, sans doute une famille entière.

— Ici, ce sont les Leroux. Ça fait soixante ans que le dernier est enterré là. Alfred Leroux, mort en 1984. Il était un peu fou et n'avait qu'une seule oreille, paraît-il. Il n'a jamais eu d'enfant.

— Euh... est-ce qu'ils sont là tous ensemble ?

Il hoche la tête.

— Les uns par-dessus les autres…

Fascinée, j'agrandis les yeux.

— Mais… quand on creuse, on peut voir l'autre qui était là avant ?

Il sourit en secouant la tête.

— Je ne crois pas, non. On fait attention de ne pas creuser trop loin.

— Penses-tu que les morts sont heureux de se retrouver ensemble ?

Arrrrffff... quelle question idiote ! Une chance que Zabeth n'est pas là, elle rirait de moi ! Elle dirait : « Ils s'en fichent, puisqu'ils sont morts, espèce de nouille ! »

Mais Eugène ne se moque pas. Il se contente de hausser les épaules.

— Il faudrait leur demander, répond-il, au bout de plusieurs secondes.

Nous continuons notre tournée des lieux. Nous nous attardons devant chaque pierre. Nous lisons l'inscription et Eugène me raconte l'histoire des gens qui reposent sous nos pieds.

Sous nos pieds ! Juste à y penser, j'en ai des frissons...

— Tu vois celui-ci ?

Il me montre une pierre blanche, très modeste, écrite

avec plusieurs fautes de français.

— Oui, je sais lire, dis-je en riant. Je vois aussi que celui qui a gravé ça ne savait pas écrire : c'est bourré d'erreurs.

— Ne juge pas trop vite, dit-il. Les gens n'étaient pas tous instruits. L'école n'était pas obligatoire, ne l'oublie pas.

— Mon père fait plein de fautes et il est avocat, alors... je comprends. Je ne jugerai plus. Alors, que sais-tu de ce V. Bélanger ?

Eugène me fait un large sourire.

— C'était un garçon qui travaillait pour la poste. Un jour, il s'est fait écraser par un cheval. Le pauvre, il n'a eu aucune chance. Il paraît qu'on a retrouvé sa tête et ses pieds à plusieurs verges de l'accident. Le cheval courait trop vite, il s'était échappé de sa grange. L'animal venait d'être adopté et son nouveau maître a dit « wôôô » mais le cheval ne comprenait pas le français.

Une verge, c'est presque un mètre. Pourquoi utiliset-il l'ancien système de mesure ?

— Hein... quoi ? Wôôô... c'est juste en français ?

Il me fait un petit sourire en coin.

— Non, mais attends ! Tu inventes toutes ces histoires !

Il éclate de rire. Comment ai-je pu être aussi naïve ?

Il vient de me raconter la vie de dizaines de personnes. Madame Unetelle qui est tombée sur la tête, monsieur Tel Autre qui a fait une chute de cinq étages,
le pâtissier qui a trop mangé de beignes… et j'en passe.

— Vous êtes vraiment très crédule, mademoiselle, dit-il en riant. Et bon public, ajoute-t-il.

J'essaie de le taper sur le bras pour me venger de sa blague, mais il s'écarte aussitôt pour éviter mon contact.

— Ne me touchez pas, s'il vous plaît, mademoiselle Zoélie.

Il serait peut-être temps de lui dire d'arrêter de me parler comme si j'étais une princesse, mais je suis tentée de laisser durer ce plaisir. J'aime bien qu'on s'adresse à moi comme si j'étais très importante. Ça fait changement de « l'allumette »...

Son visage est devenu sérieux d'un seul coup et ses yeux semblent avoir changé de couleur. Il n'y a que quelques instants, ils étaient bleus, et ils sont maintenant gris.

— OK… mais pourquoi ? As-tu une maladie qui te fait souffrir lorsqu'on te touche ?

— Quelque chose comme ça, oui. Ne me posez pas trop de questions à ce sujet. C'est… euh… difficile à expliquer, et je n'aime pas en parler. Allons plutôt par là, il y a d'autres amis…

Là, j'arrête de marcher, figée sur place.

A-t-il dit des « amis » ?

— Qu'est-ce qu'il y a ? demande-t-il.

— Est-ce que tu parles des morts ? Je veux dire, c'est eux que tu appelles tes amis ?

Son regard gris devient vert, il entrouvre la bouche,

comme s'il hésitait encore. Puis, il sourit.

— J'ai dit « amis » ? Ce n'est qu'une façon de parler, voyons !

Toutes ces histoires de morts, ça devient lourd. J'ai soudain envie de changer d'air. De plus, les nuages sont partis, le soleil se montre, la chaleur commence à se faire sentir et mon estomac gargouille.

— Viens, allons manger

un cornet de crème glacée. Il fait pas mal chaud ! D'ailleurs, tu vas bouillir, accoutré comme ça !

Je pointe sa chemise et son pantalon de lainage.

— Je ne peux pas, dit-il d'un air triste. Je dois rejoindre euh... mes parents dans quelques minutes. On se donne rendez-vous ici demain ?

Je soutiens son regard un bon moment. J'espère revoir ses yeux changer de couleur, mais il détourne la tête et me salue de la main. Près du bois, là où une pancarte

« Défense de passer » est collée à un arbre, un couple se tient par la main et regarde dans notre direction. Il est donc venu avec son père et sa mère. Je l'envie. Il est chanceux d'avoir ses deux parents avec lui pour une sortie.

Eugène ne bouge pas d'un centimètre avant que je sois rendue dans la rue. Il me salue de loin et je lui réponds de la main. Je retire mes lunettes pour mieux le voir et le soleil m'aveugle encore. Lorsque ma vue s'accoutume, mon ami n'est plus là.

Chapitre 6

Ma tête ne tourne pas rond!

Trois jours plus tard, j'ai encore des *cytrillions* de questions. Eugène est parti vite, disparu comme s'il m'avait fuie. Encore une fois ! Et le couple, qui devait être ses parents, n'avait pas l'air de lui accorder beaucoup d'attention.

Je pense que nous avons cela en commun : des parents qui nous oublient. Sauf qu'en plus, Eugène semble manquer de tout. Sinon, pourquoi serait-il vêtu de vêtements déchirés et trop petits ?

Je dois veiller à son bien-être. Eugène mange-t-il à sa faim ? Va-t-il à l'école ? Est-ce que ses parents le maltraitent ? J'espère que

non ! Il est si gentil ! De plus, il m'a laissé entendre qu'une maladie fait en sorte qu'on ne peut pas le toucher.
Il a refusé de me donner des détails. Est-ce contagieux ? Souffre-t-il ? *Soupir*... Tant de questions sans réponses.

Il n'y a pas qu'Eugène qui m'inquiète ! Ce qui arrive à ma vision est aussi préoccupant. Voir des flashs que personne d'autre ne

perçoit, ce n'est pas normal. Suis-je en train de devenir aveugle ? Juste à y penser, j'en ai des frissons !
Il y a deux jours, j'ai demandé à maman de m'envoyer consulter un optométriste , et à ma grande surprise, elle a pris un rendez-vous pour le lendemain.

Celui-ci m'a fait passer une multitude de tests. De la

mouche (mon favori) dont on doit pincer les ailes en portant de grosses lunettes, au test des couleurs pour voir si je suis daltonienne. Je n'ai rien. Ma vision est impeccable !

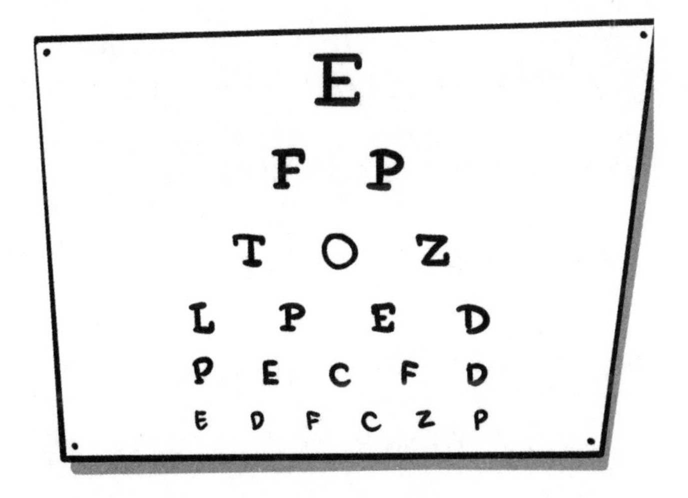

Mais alors, d'où viennent ces jets de lumière que je suis la seule à voir ?

Je dois m'admettre vaincue. Je ne voulais pas considérer cette possibilité, mais je suis bien obligée de le dire : je crois qu'Eugène m'a transmis sa fameuse maladie dont il a refusé de me dévoiler le nom.

Ça aurait du sens, puisque ce trouble de vision n'est apparu que le jour de ma première rencontre avec lui !

Après tout cela, malgré notre second rendez-vous (que j'ai manqué), voilà trois longues journées que je ne suis pas allée au cimetière. Les flashs commencent à se faire moins présents, bien que toujours là. Ça arrive souvent lorsque je passe devant une fenêtre ou si je suis dehors. S'il m'a donné sa maladie, alors il faut éviter que mon entourage me touche !

Ce matin, Zabeth s'est moquée de moi.

— Tu penses que si on te touche, tu seras attaquée par un éclair ? Ha ! Ha ! Ha !

T'es vraiment comique, Zoélie Lalonde !

— Je n'ai pas dit « attaquée par un éclair », j'ai juste dit que je voyais des éclairs. C'est une maladie ! Vaut mieux pas me toucher, c'est peut-être contagieux.

Élizabeth a reculé sa chaise pour s'éloigner de moi comme si j'avais la peste.

— Zoélie, tu m’inquiètes. Es-tu certaine que ça tourne rond là-dedans ? demande-t-elle en pointant ma tête.

Après ça, je ne lui ai pas dit que j’avais un ami mystérieux dont les yeux changent de couleur au gré de ses humeurs. Et j’ai omis de lui raconter ma chute inexplicablement freinée dans l'escalier. Elle aurait

vraiment pensé que j'étais folle.

Chapitre 7

Le kaléidoscope

Ce matin, j'entre dans le cimetière en passant entre deux énormes épinettes. Il n'y a personne, même pas Baptiste et sa bande. À force de venir ici, je commence à apprécier mes petites promenades et peut-être même à comprendre Eugène,

qui lui, semble passer beaucoup de temps entre les tombes.

Quelque chose dans cet endroit m'émerveille. Je me sens transportée dans un univers à part, j'ai l'impression de faire partie d'une autre dimension. De plus, aujourd'hui, une couche de nuages sème la grisaille dans la ville. L'atmosphère est parfaite, quoiqu'un peu épeurante. Hooouuu !

J'ai apporté des sandales ajustables pour mon ami. Il a les pieds plus grands que les miens, je n'avais rien d'autre qui puisse peut-être lui convenir. Au moins, il aura des semelles pour le protéger des cailloux.

— Eugène ?

Je sais, c'est ridicule d'appeler mon mystérieux ami d'une voix aussi faible alors que c'est clair qu'il n'est pas ici. Je l'aurais retrouvé depuis mon arrivée ! Ce cimetière n'est pas si grand, après tout. On peut apercevoir tous ceux qui le visitent, peu importe où on se tient.

Je dois aller examiner cette chaumière qui m'intrigue tant. Pour y arriver, il faut entrer dans le boisé.

Un silence apaisant et une odeur d'épinette flottent entre les arbres. On dirait une forêt enchantée.

Les troncs des conifères centenaires sont dégarnis, et on marche sur les épines tombées au sol. Je fais quelques pas sur le tapis d'aiguillons, quand, tout à coup, une femme vêtue d'une robe jaune se plante devant moi. Je ne l'ai pas vue venir !

— Hé, jeune fille ! Vous n'avez pas lu l'écriteau ? C'est un terrain privé, vous n'avez pas le droit de passer !

Malgré ses paroles autoritaires, la dame semble sympathique, comme une bonne grand-maman.

Sur sa robe couleur soleil, elle porte un tablier fleuri et ses cheveux gris sont noués sur sa nuque en un chignon serré. Un rayon de soleil qui perce un nuage illumine son visage.

— Qui êtes-vous ?

— Je suis la propriétaire de ce terrain. Celui que vous cherchez n'est pas ici.

Pourquoi est-ce que tout le monde me vouvoie dans les parages ?

Les yeux de la vieille dame sont étranges, un peu comme ceux d'Eugène. Bleus, puis verts, puis... gris... et hop ! bleus à nouveau ! Mon cœur se remet à battre très fort !

Il se passe quelque chose d'anormal. Le regard de cette femme est troublant !

Nerveuse, je ravalerais bien ma salive, mais j'ai soudain la bouche sèche comme le désert du Sahara.

— Ah, bon… Eh, bien, merci… je dois y aller de toute façon. Si vous voyez un garçon très blond qui s'appelle Eugène, pouvez-vous lui donner ceci de ma part, s'il vous plaît ?

Je bafouille en déposant les sandales au sol sans m'approcher de l'inconnue.

Même si les yeux d'Eugène font la même chose, chez la dame, c'est plus rapide. Ses iris passent du bleu au vert au gris dans la même seconde ! Un peu comme un kaléidoscope. J'ai la frousse de ma vie et je prends mes jambes à mon cou sans regarder derrière moi !

Chapitre 8

Des questions bizarres

Ouf ! Enfin sur le trottoir, hors du cimetière. Il ne manquerait plus que de voir s'approcher Baptiste et ses acolytes ! J'espère que non. J'ai eu assez d'émotions comme ça.

Ma rencontre avec la dame en jaune m'a donné un

frisson dans le dos. Elle était gentille, mais son regard... hoooouuu... Il y avait quelque chose d'inquiétant dans ses yeux aux couleurs changeantes. Peut-être que je me suis trompée depuis le début et que le couple que j'ai vu n'était pas les parents d'Eugène. Ooooh...
je viens de comprendre !
La mère d'Eugène, c'est la dame en jaune ! Et cette

petite chaumière mal entretenue, c'est LEUR maison !

— Bonjour, mademoiselle Zoélie...

C'est la voix d'Eugène ! Pourquoi ne l'ai-je pas croisé en parcourant le site ? Il se tient à l'entrée du cimetière, les deux pieds hors de la limite des arbres qui sépare le site du trottoir.

Il retire son chapeau, qu'il colle contre lui. Du coup, je remarque que je n'ai jamais vu mon nouvel ami sortir du terrain des morts. Est-ce que la dame en jaune le lui interdit ? Par contre, ce n'est peut-être qu'une coïncidence. Pour le savoir, quoi de mieux que d'essayer de l'entraîner plus loin ?

— Salut Eugène ! As-tu eu mes sandales ? Je les ai données à la dame en jaune...

— Des sandales ? Euh... Oui, mais je ne peux pas les accepter.

— Pourquoi ?

Oh, non, je pense que j'ai fait une gaffe. Il semble très mal à l'aise...

— C’est que... je ne supporte pas la charité. La dernière fois, ç’a mal fini, dit-il d’un air mystérieux.

— Ce n’est pas de la charité, voyons ! C’est un cadeau pour te faire plaisir.

Il me dévisage quelques instants, j’ai l’impression qu’il réfléchit très fort. Pourquoi est-ce donc si compliqué ?

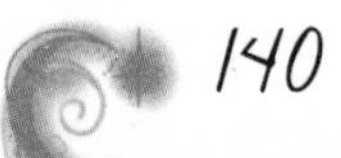

— Merci pour le cadeau, finit-il par dire. Je n'en ai jamais eu de toute ma vie...

— Tu n'as jamais eu de sandales ?

— Non... ni de cadeau...

Oh... pauvre Eugène ! J'ai beaucoup de peine d'entendre ça !

— Alors, tu vas les porter ?

Il hausse les épaules.

— Je ne voudrais pas les abîmer, elles sont trop précieuses.

— Mais je te les ai apportées pour tes pieds, pas comme décoration !

— Je n'ai pas mal aux pieds. Je suis mieux sans sandales. Mais... mais, je les adore ! ajoute-t-il avec empressement. Je vous remercie du fond du cœur.

Je scrute son visage, à la recherche d'indices pour tenter de voir s'il me joue la comédie. Il est peut-être trop timide pour accepter un simple présent. Je hausse les épaules à mon tour. Nous avons autre chose à faire !

— Tu viens ? Je te paye un cornet à la crèmerie !

Quelle bonne idée, s'il est si pauvre, il doit avoir très faim. Pourquoi n'ai-je donc jamais pensé à lui apporter un vrai repas ?

— Non, merci. Mais c'est très gentil ! s'empresse-t-il d'ajouter pour ne pas me froisser.

— Je peux t'en rapporter un ! dis-je.

Il secoue la tête. Il est agité et cherche quelque chose à répondre.

— Non... à vrai dire, je n'aime pas la crème glacée.

Je m'approche pour voir dans son regard s'il me ment. Ses yeux sont vert lime. Vert lime, ça veut dire quoi ? Nervosité ? Peur ? Envie irrépressible de manger une crème molle, mais il est intolérant au lactose ?

Quoiiii ?

— Une slush, alors ? T'as le choix de plusieurs saveurs : orange, lime, raisin...

Ses yeux passent au bleu ciel quand il éclate de rire.

— Orange ? Wow...

— En quoi est-ce que la saveur d'orange est si sensationnelle ?

— Ben... euh... à vrai dire, je ne connais pas beaucoup de saveurs. Et je n'ai jamais goûté d'orange, il paraît que c'est bon, répond Eugène, dans un aveu un peu timide.

— JAMAIS ? Wow ! Il faut te faire goûter ça au plus vite ! On pourrait en boire chacun la moitié, qu'en dis-tu ?

Il agrandit les yeux de surprise.

— Tu voudrais… encore me donner quelque chose… Vraiment ?

Eugène semble si ému que j'en ai le cœur serré. Est-ce que personne n'a jamais partagé quoi que ce soit avec lui avant ? Pourtant, il ne me semble pas le genre de garçon à ne pas avoir d'amis. Il est gentil, intelligent, drôle, mignon... Décidément, je suis sur la bonne voie pour comprendre. Eugène est un pauvre garçon qui n'a pas eu de chance dans la vie. Sa maman et lui sont sûrement seuls au monde et survivent peut-être dans des conditions difficiles depuis des années. Ouf ! Les morceaux du puzzle

commencent à se mettre en place.

— Ben oui, pourquoi es-tu aussi surpris ? Je te considère comme mon ami, tu sais !

C'est vrai. Plus je côtoie Eugène, plus je l'aime. Il est unique et spécial. Surtout, il ne me juge pas. Il n'a pas encore fait de commentaire sur mes grandes oreilles, ni

ne m'a fait remarquer que je suis grande et trop mince !

— Pour de vrai ? demande-t-il.

— Je n'ai jamais rencontré quelqu'un comme toi ! Tu m'apprends plein de nouvelles choses et tu ne demandes rien en retour. Tu es super gentil et drôle, en plus ! D'ailleurs, j'aurais dû te dire quelque chose...

— Je vous écoute, mademoiselle Zoélie.

— Ben, c'est justement à propos de ça. Tu n'as pas à m'appeler mademoiselle, personne d'autre que toi ne le fait. Aussi, tu peux me dire « tu ».

— Oh ! Mais... ce sera difficile, pour moi.

— Pourquoi ce serait difficile ? Est-ce que tu vouvoies tout le monde ?

Eugène baisse les yeux et regarde le gazon de longues secondes. Il semble hésiter à me répondre. Qu'est-ce qu'il me cache ?

— Non, pas tout le monde... mais, c'est d'accord. Je vais vous dire « tu ».

— Et j'aimerais que tu m'appelles Zoélie. JUSTE Zoélie.

— D'accord, madem... Euh, je veux dire : Zoélie.

Pendant presque une minute, nous ne disons plus rien. Il semble absorber tranquillement ce que je viens de lui demander.

— Alors, cette slush ? C'est oui ?

Il regarde au sol, semble hésiter…

— Juste une question…

— Oui ?

— C'est quoi une slush, Zoélie ? demande-t-il.

Je le dévisage, bouche ouverte et yeux qui clignent. Après l'orange, voilà qu'il ne sait pas ce qu'est une slush ! Je m'apprête à rire de lui, mais je m'arrête. Il ne s'est pas moqué de moi, ni de mon apparence, ni de mes questions idiotes ! Je lui dois le même respect.

— C'est une boisson sucrée faite avec de la glace concassée. Tu sais, comme de la neige un peu fondue...

Il me fait un sourire embarrassé.

— Ah, oui, je vois…

Alors que je fais quelques pas en direction de la rue Principale, qui mène à l'avenue de la Gare, là où se trouve la crèmerie, je constate qu'il reste figé sur place.

— Tu viens ?

— Je vais te demander quelque chose de bizarre. Peux-tu te retourner, s'il te plaît ? Ne me pose pas de questions, d'accord ? J'ai juste besoin de quelques secondes.

Il semble si heureux et paniqué à la fois que je n'insiste pas et je pivote, face à la rue, pour ne pas voir ce qu'il fait. Tout à coup, la rue s'éclaire, un flash de lumière vient d'éclater derrière moi !

— OK, tu peux regarder, dit-il, après quelques secondes.

Il est encore au même endroit, les deux pieds cimentés (façon de parler !) à la limite du cimetière.
Il n'a même pas avancé sur le trottoir. On dirait qu'il a peur de sortir.

— C’était quoi, ce flash ?

Son air est triste et ses lèvres sont serrées en une mince ligne. Ses yeux sont d’un gris acier sombre.

— C’était rien, dit-il avec empressement. Je ne peux pas te suivre, Zoélie, je suis désolé ! Je pensais en être capable, mais ce n’est pas le cas. Pas encore...

Chapitre 9

Trottoirophobie

Pas encore capable de sortir du cimetière ? Mais de quoi parle-t-il ? Et si c'est le cas, comment retourne-t-il chez lui, le soir ? Il habite vraiment dans la chaumière, alors ! Il a eu honte, c'est pour ça qu'il a évité toutes mes questions. Aaaaaah !

Je sens que j'approche de la vérité. Et il a peut-être une grosse peur des trottoirs ? J'ai vu un documentaire à la télévision à ce sujet. Des gens ont peur des oiseaux, d'autres des foules, et certains craignent même les fleurs ! Il ne serait donc pas étonnant que la phobie des trottoirs existe. Maman m'a toujours dit qu'il fallait respecter les peurs d'autrui.

— T'as peur du trottoir ?

Il me lance un regard surpris. Est-ce que je viens de blesser son orgueil de gars ?

— Non ! C'est ridicule, voyons.

— Alors, pourquoi tu restes là ?

— Je ne peux pas t'expliquer, c'est trop... difficile à croire...

— C'est quoi ? Tu peux tout me dire ! Allez ! Je sais que tu habites dans la vieille cabane abandonnée avec ta mère !

— Ma mère ? Mais de qui parles-tu ?

— De la dame qui porte une robe jaune avec un tablier fleuri. Elle était dans le boisé. C'est bien là que tu vis, non ?

Il ne répond pas et plaque une main sur son front.

— Zoélie... Euh... Non... Et ce n’est pas ma mère.

— Alors, tu ne vis pas dans la chaumière ?

— Non... c’est que... euh...

— Écoute, Eugène... Je commence à penser que tu as besoin de secours. Est-ce que tu manges à ta faim ?

As-tu d'autres vêtements que ceux-ci ? Ils sont déchirés et tu portes toujours la même chose !

— Tu ne comprends pas...

Il me fait des signes pour m'arrêter, mais je poursuis sur mon élan :

— Tu ne veux pas que je te touche, tu refuses de sortir de ce cimetière...

— Je ne refuse pas… c'est juste que… que…

— Donc, tu as peur du trottoir ! Avoue !

— Je n'ai pas peur ! se défend-il.

C'est assez, je crois qu'il est grand temps de le forcer à avancer.

— Si tu es si brave, alors, suis-moi !

D’un pas ferme, je me dirige vers lui et je tends le bras pour l’agripper. Mais ma main ne l’atteint pas. Au lieu de toucher le coton de sa chemise blanche, je ne sens qu’un obstacle, comme si un écran invisible protégeait son corps. Puis, un flash de lumière m’aveugle avant que je m’évanouisse.

Chapitre 10

Réveille-toi, petite fille

Je me réveille sur un lit d'épines de conifères. Ça sent la terre humide et le sapin. Lorsque j'ouvre les yeux, je vois les rayons du soleil à travers les branches des arbres gigantesques. On dirait qu'ils

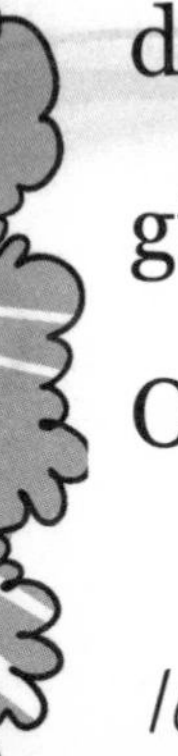

sont aussi hauts que le ciel et qu'ils atteignent les nuages. Ici, il n'y a aucun bruit. C'est si paisible. J'ai envie de refermer les yeux et de dormir...

De toute façon, ce n'est qu'un rêve, n'est-ce pas ? Les yeux d'Eugène ne peuvent pas avoir viré au rouge avant qu'il ne disparaisse dans un éclair.

chapitre 10

Eugène existe-t-il vraiment ? Il me semble avoir dormi longtemps et que mon cerveau a produit une histoire d'étoiles filantes et de brises.

— Hé ! Jeune fille, est-ce que ça va ?

Je reconnais cette voix, c’est celle de la dame en jaune. J’ouvre grand les yeux pour regarder autour de moi.

Quelqu'un m'a déplacée jusqu'ici pendant que j'étais inconsciente.

Je me frotte les paupières en reprenant mes esprits. Qu'est-il donc arrivé ? En touchant Eugène, j'ai ressenti un énorme choc. Comment est-ce possible ? Je dois me pincer. La sensation de douleur sous mes doigts m'annonce ce que je craignais : je suis parfaitement réveillée.

— Comment suis-je arrivée ici ? J'étais sur le trottoir… puis, j'ai touché Eugène… et PAF !, une énorme décharge électrique et encore PAF !, je suis tombée dans les pommes !

Je me redresse d'un mouvement rapide, mais j'ai la tête qui tourne. Je dois

coller ma paume sur mon front et fermer les yeux pour ne pas me sentir mal.

— Je sais, dit l'inconnue. Calmez-vous. D'abord, j'aimerais vous dire à quel point je vous suis reconnaissante d'avoir réanimé mon cher petit Cléopold. Il me manquait tant !

— Mais je n'ai rien fait de tel... Et vous n'avez pas répondu à ma question : comment suis-je arrivée ici, dans ce boisé ? J'étais sur le trottoir, à l'autre bout du cimetière !

Elle me regarde un long moment. Son silence et sa concentration sur chaque détail de mon visage me rendent nerveuse.

— Celui qui vous a portée jusqu'ici, c'est Cléopold.

Je cligne des paupières, confuse.

— Qui est Cléopold ? Qu'est-ce qui se passe ?

D'un sourire mystérieux, la femme me fait signe de la suivre. Après un instant d'hésitation, je me relève, encore un peu étourdie, et je lui emboîte le pas.

Elle me guide hors du boisé. En silence, nous longeons les pierres tombales. Puis, elle s'arrête à l'endroit exact où j'ai rencontré Eugène la première fois.

— Voici Cléopold, dit-elle.

Elle désigne la pierre tombale.

— Je ne comprends pas.

J'ai envie de crier. Cette blague a assez duré. Si c'est un coup monté pour une émission de VRAK, alors c'est réussi ! Eugène était-il donc un simple complice d'un énorme canular ? Ses vêtements étaient-ils truqués de façon à me donner une décharge électrique dès que j'aurais l'idée de le toucher ?

— Ne vous énervez pas, murmure la dame en jaune, sans autre explication.

Je décide de me taire, même si je dois me mordre la lèvre inférieure. Qu'arrivera-t-il si je touche la dame en jaune ? J'ai peur d'y penser.

De longues secondes, nous demeurons immobiles devant la pierre tombale de ce Cléopold Lalonde.

— Est-ce qu'un zombie sortira du sol ? dis-je, avec un rire nerveux.

La femme me lance un regard agacé.

— N'avez-vous donc rien compris, jeune fille ?

— Pourquoi me vouvoyez-vous ? Je n'ai que onze ans !

— Parce que d'où je viens, c'est la politesse, répond-elle.

— La politesse ? Mais d'où venez-vous ? Ici, personne ne dit « vous » à une enfant de mon âge.

Voilà une chose à laquelle je n'avais pas pensé !
C'est ridicule, mais je dois poser la question.

— Venez-vous d’une autre planète ?

Elle me lance un regard noir qui me fait ravaler ma salive.

— Cessez de dire des âneries. On ne rigole pas avec les esprits captifs, dit-elle. J’espérais que vous seriez celle qui pourrait aider Cléopold, mais j’ai peur de m’être trompée.

— Qui est Cléopold ? Et je vous en prie, cessez de me vouvoyer, ça me met mal à l'aise.

La femme a un mouvement d'impatience.

— Cléopold est celui à qui tu as donné la possibilité de se matérialiser, m'explique-t-elle, ses yeux gris fixés sur moi. Si Cléo a pu se faire voir de toi, c'est parce que

tu lui as donné ton énergie. Maintenant qu'il est visible, il a besoin de ton aide. C'est un si bon garçon... Il est prisonnier du cimetière !

Je recule de quelques pas, incrédule.

— Mais de quoi parlez-vous ?

— Du garçon à qui tu parles depuis des jours...

Quel garçon ? Eugène ? Non... cette dame est folle. Tout ça, c'est IMPOSSIBLE !

— Vous... vous... parlez d'Eugène ? Vous essayez de me faire croire qu'Eugène, c'est ce Cléopold qui est enterré sous mes pieds ?

— Je n'essaie pas de te le faire croire... c'est la vérité, dit-elle.

— La vérité ? *La VÉRITÉ ?*

La dame hoche la tête lentement. Je couvre ma bouche de mes deux mains. C’est incroyable !

— Non ! La vérité, c’est que vous n’êtes pas seule pour me faire cette mauvaise blague ! Ce n’est pas drôle du tout ! Les fantômes, ça n’existe pas ! Du moins... pas dans votre... euh... genre !

Elle s'approche, je recule d'un mouvement nerveux. Elle me tend une main, je recule encore.

— Vas-y, touche-moi, tu verras bien, dit-elle d'un ton calme.

Je cligne des yeux plusieurs fois en regardant autour de moi pour voir si un réalisateur de télé ne va pas sortir des buissons en criant « Surprise ! On t'a bien eue ! », mais il n'y a vraiment personne. Seulement le vent dans les branches qui fait bouger les feuilles.

— Tu as peur, je te comprends, dit-elle avec un sourire bienveillant. Ne bouge pas, je vais juste m'approcher lentement. Tu vas voir, c'est comme de l'électricité statique, ça ne fait pas mal. Tantôt, tu es allée trop vite avec Cléopold et il n'a pas eu le temps de se moduler pour ne pas te faire mal.

— Moduler ?

— Diminuer l'énergie qu'il rassemble pour que tu puisses le voir. Allez, je ne mords pas...

Hésitante, je prends une longue inspiration, puis,

je lève une main tremblante vers celle qu'elle me tend. Lorsque nos doigts se touchent, tout ce que je réussis à palper, c'est un grésillement. Je sursaute.

— Vous... vous... êtes... un hologramme, alors ?

Mais pour faire un hologramme, comme dans *Star Wars,* ça prend une machine ! Il n'y a aucun équipement technologique ici.

Elle secoue la tête.

— Je suis, comme Cléopold, un ...

— Un fantôme... dis-je, à sa place.

Elle fait oui de la tête avec un sourire satisfait, comme si elle disait « la vivante a ENFIN compris ! »

— Esprit, fantôme, spectre, revenant, oui... énumère-t-elle avec un petit sourire. N'aie pas peur...

— Mais comment ai-je fait pour le faire apparaître ? Je n'ai jamais entendu parler d'une telle chose !

— C'est rare, en effet, poursuit la dame. Il faut réunir plusieurs conditions pour permettre à un fantôme de se faire voir sous la forme qu'il avait de son vivant.

— C'est-à-dire ?

— Il faut être placé au-dessus de son corps, il faut que le soleil soit assez fort...

— Ah, oui ! Le soleil ! J'ai remarqué qu'il brillait

toujours trop fort quand Eu... Cléopold était là.

La dame fait oui de la tête.

— Le soleil est notre principale source d'énergie, m'informe-t-elle.

— Alors, vous ne pouvez pas apparaître la nuit, comme on le pense depuis toujours ?

C’est vrai ! Les fantômes, ça fait peur la nuit, tout le monde sait ça !

— Quand nous devenons plus forts, alors oui. Ensuite, pour remplir la formule qui nous rend visibles, il faut que quelqu'un demande notre aide, mais pas pour n’importe quoi. Il faut que ce soit grave et urgent. Tu as réuni toutes ces conditions et c'est comme ça que Cléopold a pu apparaître.

— Et vous... vous êtes qui ?

La dame pointe la pierre tombale juste à côté. Sur le granit, on peut lire :

— Wow... Ça veut donc dire que vous aussi, on vous a réanimée en réunissant toutes ces conditions ?

— Oui, mais contrairement à Cléopold, la personne qui m'a fait me matérialiser est décédée depuis longtemps. C'est une vieille histoire qui n'a plus d'importance aujourd'hui.

— Est-ce qu'il y en a d'autres comme vous... je veux dire... qu'on peut voir ?

— Peut-être, répond-elle avec un air mystérieux.

— Où est Eugène ?... Je veux dire, Cléopold.

— Le choc l'a dissipé. Il reviendra, ne sois pas inquiète.

— Ça prend combien de temps pour qu'un fantôme dissipé revienne ?

La femme pince les lèvres.

— Le temps n'existe pas pour les morts. Mais en mesure de « vivant », cela peut prendre de quelques secondes à plusieurs années. Cela dépend de votre lien. Si tu penses fort à lui, il reviendra plus vite. Je te le répète, il a besoin de toi.

Puis, Ange regarde derrière moi, alertée.

— Il est temps pour toi de partir, murmure-t-elle, mais j'espère que tu reviendras très vite.

Chapitre 11

Tout est possible!

Ça fait trois jours que j'attends mon ami. Je reviens au cimetière après m'y être

présentée hier, avant-hier et avant-avant-hier. J'ai peur qu'il mette de longues années à réapparaître. Ce serait la

fin du monde pour moi.

Je pense donc très fort à lui. Depuis trois nuits, j'ai du mal à trouver le sommeil. Je crains qu'en dormant je ne coupe le lien dont il a besoin pour revenir. Je suis cernée jusqu'au menton et blanche comme un drap. Assez pour que ma mère remarque que quelque chose ne tourne pas rond. Elle a voulu prendre ma température et me

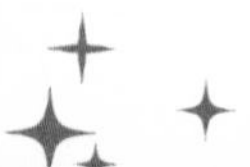

donner du sirop rouge, celui à la cerise. Beurk ! c'est pire que de manger trois bananes d'un seul coup. J'ai craché le sirop dans le lavabo et j'ai pris un peu de son fond de teint pour camoufler mes cernes. Le résultat était suffisamment réussi pour qu'elle retourne à ses appels téléphoniques et à ses courriels sans s'inquiéter

davantage de mon état lamentable.

Durant tout ce temps, Ange (la dame en jaune) ne s'est pas montré le bout du nez et je n'ai pas revu Cléopold (c'est difficile de ne plus l'appeler Eugène). Je n'ai vu aucune lumière douteuse non plus, et même le soleil semble se tenir tranquille. Baptiste et sa bande restent à l'écart par les temps qui courent. Peut-être que Cléopold a trouvé une façon de les éloigner pour de bon ? Ce serait un bon débarras !

Cléo est mon meilleur ami, désormais. Mon seul ami, pour être honnête.

Mais où est-il ? Même si Ange m'a dit de ne pas m'inquiéter, c'est difficile.

Peut-être que maintenant que son secret est dévoilé, il ne viendra plus me voir ? Ce serait vraiment triste, j'ai le cœur gros juste à imaginer qu'il puisse être parti pour toujours.

Et si… je l'appelais ? (Ça me permettrait peut-être d'avoir un signe de vie — peut-être pas de vie, mais de présence ! Je ne l'appellerai pas au téléphone, bien sûr ! Encore moins sur Messenger ! S'il a vécu entre 1892 et 1903, il ne sait certainement pas qu'Internet existe. Ça explique qu'il ne connaisse pas la slush !)

Mon cœur bat à tout rompre rien qu'à penser à ce que je vais tenter de faire. Je suis nerveuse comme si j'allais téléphoner à un garçon qui me plaît.

Hééée ! Zoélie la grande nouille ! Ce n'est pas un garçon, c'est un fantôme ! Il est beau, c'est vrai, mais quand même !

OK, je dois me concentrer un peu. Il faut que je me calme. Assise en Indien sur un banc de bois, je place le dos de mes mains sur mes genoux, paumes vers le ciel et je ferme les yeux. À go, j'y vais...

1... 2... 3... Go !

— Cléopold, es-tu là ?

Rien ne se produit. Ah ! Il faudrait peut-être que j'ouvre les yeux, si je veux le voir apparaître.

Crotte de canard, même les yeux ouverts, il ne se passe rien.

— Cléopold ?

Rien.

— Eugène ?

Rien.

— Allôôôô ? Ange peut-être ? N'importe qui ?

Ouille, je n'aurais pas dû dire « n'importe qui », si un fantôme pas très gentil se balade par ici, je pourrais avoir de gros problèmes !

C'est pourtant le vide total. Je suis déçue.

J'ai soudain une idée. Ange ne semblait pas vouloir que j'accède à la chaumière. Peut-être que c'est là qu'ils se cachent. Pas certaine

que des fantômes aient à se cacher, mais je suis à court d'idées. À tout le moins, si je franchis une limite qui m'a été interdite, j'aurai peut-être leur attention.

Le boisé est calme, paisible. TROP paisible. C'en est inquiétant. Il ne manque que la musique de suspense « tadum tadum taduuuum » pour ajouter de l'effet.

Mon cœur bat très fort,
j'ai encore les mains moites
et pourtant, il n'y a aucune
menace à l'horizon.

La petite maison n'a plus
de balcon et la marche est un
peu haute pour que je puisse
entrer. Il faudra d'abord
que je réussisse à ouvrir la
porte. Je n'espère même pas
que quelqu'un me réponde,
plus personne n'habite

« réellement » ici depuis longtemps. C'est d'ailleurs bizarre que cette cabane n'ait pas été détruite depuis des années. Des enfants aventureux (comme moi, par exemple !) pourraient s'y blesser.

La porte est verrouillée, ce qui ne me surprend pas. J'essaie de regarder à l'intérieur par les fenêtres, mais comme la cabane est dépourvue de balcon, je ne suis pas assez grande pour atteindre les carreaux. Zut ! Maintenant, je suis encore plus curieuse de ce que je pourrais y trouver ! Peut-être que tout a été laissé en plan depuis un siècle ? Ooooh, ça serait fascinant de découvrir des objets oubliés par plusieurs générations...

Une souche d'arbre est située près d'une fenêtre.

Voilà ma solution ! Elle me servira de petit escabeau. Hop ! C'est parfait, j'arrive à me hisser jusqu'à la vitre. Celle-ci est aussi sale en dedans qu'au-dehors.

D'un mouvement du poignet, j'essuie la poussière avec ma paume. Ohhh… Il y a encore des meubles ! Une table de cuisine, une assiette, un verre… On dirait une scène figée dans le temps.

C'est fascinant ! Il faut absolument que je trouve une façon d'entrer sans rien briser.

Soudain, un grincement me fait sursauter. Qu'est-ce que c'est ? Oh, mon Dieu, c'est une chauve-souris qui s'échappe de la cheminée ! Je DÉTESTE les chauves-souris ! Et si les fantômes existent, peut-être que les vampires aussi. Je n'avais pas pensé à ça, moi ! Et les autres créatures... les zombies...

les extraterrestres... plus rien n'est impossible.

Un long frisson de terreur parcourt ma nuque, glisse sur mon dos et termine sa course dans mes souliers. La chauve-souris vole près de ma tête. Elle cherche à me chasser, c'est évident. C'est assez pour que je tourne les talons et sorte du boisé sans regarder derrière.

Chapitre 12

Des questions à la tonne

Je me demande si j'ai rêvé tout ce qui s'est produit. De l'apparition de Cléo jusqu'aux explications d'Ange, tout ça est si invraisemblable ! Depuis que cette dernière m'a révélé cette histoire de fantômes, je n'ai plus revu mon ami.

Je sursaute pour tout et pour rien, même chez moi.

Mon père a remarqué que mon comportement n'est pas normal. Faut le faire ! Malgré tout, aucun de mes deux parents n'a encore prêté attention au fait que je passe le plus clair de mon temps au cimetière ou seule dans ma chambre, à ressasser les choses étranges dont j'ai été témoin. Évidemment, pour qu'ils se rendent compte de mes nouvelles habitudes, il faudrait que j'arrête de leur dire que je vais chez ma cousine Zabeth…

Me voilà de nouveau sur le site. Tout est si calme qu'on dirait que rien d'extraordinaire ne s'est jamais produit ici. J'approche à pas prudents

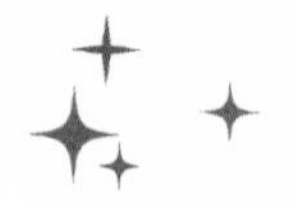

de la pierre tombale de Cléo et j'y dépose la marguerite que j'ai cueillie en passant sur le terrain de monsieur Santerre. Le cimetière est désert. Si je parle à haute voix, personne ne me pensera cinglée.

— Allô, Cléo. Ce n'est pas grand-chose, mais c'est pour

toi... J'espère que tu vas bien. J'imagine que tu as de la difficulté à revenir, je t'ai causé tout un choc, l'autre jour. Je voulais dire que je m'excuse. Tu m'avais demandé de ne pas te toucher, et je ne t'ai pas écouté. Je suis vraiment vraiment vraiment désolée... et t'es mon meilleur ami et...

— Merci, c'est gentil...

Mon cœur s'arrête au timbre de la voix qui me parle à ma droite.

— Eugène ! Euh... je veux dire Cléopold. Tu es là ! Je pensais que tu étais... euh...

— Mort ? suggère-t-il en souriant.

— Un fantôme comique, tiens donc !

— J'aime bien que tu m'appelles Cléo. Personne ne m'a jamais donné de surnom avant. Je l'apprécie beaucoup. Je suis ton meilleur ami, c'est vrai ?

Est-ce que je viens de rougir ? Probablement !

— Si tu veux l'être...

— Bien sûr que je le veux ! Je n'ai jamais été le meilleur

ami de qui que ce soit avant. Comment on fait ?

— Pour être un meilleur ami ?

— Oui… je ne sais pas comment, dit-il timidement.

— Moi non plus ! Mais j'imagine qu'on le découvrira ensemble…

— D'accord, répond-il.

Tiens... On dirait qu'il vient de changer. Il est plus grand, un peu... Je dois halluciner ! Depuis que je sais qu'il est un fantôme, mon imagination ne connaît plus ses limites.

— J'étais si surprise quand Ange m'a dit la vérité. Je ne l'ai pas crue, évidemment ! Je pensais que c'était un coup monté de VRAK !

— De… quoi ? Vrouk ?

— VRAK… ah ! Laisse faire ! Tu ne dois pas connaître la télévision, n'est-ce pas ?

— Non… pas du tout, admet-il.

— C'est une boîte avec une vitre et on voit les gens dans la vitre, mais ils ne sont pas vraiment dans la boîte, c'est enregistré…

— Enregistré ? Ça veut dire quoi ?

— Ouille ! Tu es VRAIMENT en retard sur la technologie. Un jour, je t'expliquerai. T'es comme un génie dans une lampe qui n'est pas sorti depuis plus de cent ans. Peux-tu exaucer des vœux ?

Je pose la question en riant, mais j'espère quand

même que c'est possible. Il a peut-être des pouvoirs magiques, tant qu'à y être !

— J'aimerais bien exaucer tes trois vœux pour m'avoir délivré... mais malheureusement, ça ne fonctionne pas comme ça, dit-il en riant devant ma fébrilité.

— Est-ce que je suis la seule à te voir ? Je veux dire...

comme ça, avec ton visage et tout ? Tu as l'air si vrai !

Il incline la tête pour réfléchir.

— C'est une bonne question. Je pense que tes petits copains que j'ai rendus malades ne m'ont pas vu. Il faudrait faire des tests, dit-il.

— Cléo, parlant de questions... j'en ai des tonnes.

D'ailleurs, avais-tu vraiment pris des herbes pour donner la nausée à mes ennemis ?

— Non. Je me suis concentré très fort et j'ai pu les rendre malades.

— Oh, wow, ça veut dire que tu as des pouvoirs magiques !

— Pas magiques... juste quelques capacités hors

de l'ordinaire, fait-il avec humilité.

— C'est tellement difficile à comprendre, tout ça. Penses-tu qu'on pourrait discuter de...

— ... ce que je suis ? termine-t-il à ma place.

— Oui, c'est ça que j'allais dire.

— D'accord. Tu veux savoir quoi, en premier ?

— Tout ! Je veux savoir d'où tu viens, ce qui t'est arrivé...

— Si je te raconte tout ça, tu me raconteras ta vie en retour ? demande-t-il en souriant.

— Oh, moi, il n'y a rien d'intéressant... Mais

d'accord, je te dirai tout ce que tu veux. Allez, raconte !

Avant qu'il ait le temps d'ouvrir la bouche, je devine une présence derrière moi, amenant avec elle une brise douce. Cléo sourit. Je me retourne, et j'aperçois la dame en jaune, que je salue d'un sourire.

— D'accord, mais je t'avertis, c'est une bien triste histoire... dit Cléo.

Chapitre 13

Le récit de Cléo

— C'était en 1903.

Une époque bien lointaine pour toi, Zoélie. Nous étions plusieurs orphelins.

La médecine n'était pas très avancée et les gens n'avaient pas beaucoup de moyens.

Les femmes mouraient souvent en accouchant et les

hommes, dans des accidents de travail ou à cause de simples infections.

J'étais l'un de ces enfants qui n'avait jamais connu ses parents. Je vivais à l'orphelinat où j'étais malheureux. Il y avait une dame prénommée Malvina qui était très méchante. Elle était censée veiller à notre bien-être, mais

Malvina détestait les gamins. J'étais parmi les plus grands et je lui tenais tête en défendant les plus petits. Par la force des choses, je devins rapidement son souffre-douleur. La haine de Malvina à mon égard était sans limites.

Un jour, j'ai décidé de fuir, mais Malvina a deviné mon plan. J'avais rempli mon baluchon de quelques bouts de pain pour survivre, le temps de me trouver un endroit où rester. Je partais à la recherche d'une famille qui m'aimerait comme un fils. Malvina m'a laissé m'en aller, non sans avoir d'abord empoisonné le pain que j'emportais avec moi dans mon sac.

La première fois que j'ai volé une tarte qu'Ange avait laissé refroidir sur le bord de sa fenêtre, j'étais affamé. Je n'étais pas un voleur, je me sentais terriblement mal d'avoir à agir ainsi.

Les jours suivants, de nouvelles tartes sont

apparues, ainsi que de
la viande et du fromage.
J'ai tout de suite compris
qu'Ange avait deviné ma
détresse. Elle savait que je
volais sa nourriture et m'en
donnait davantage.
En guise de remerciement, je
remplaçais son offrande par
une fleur. Une marguerite
que je cueillais dans son
jardin. Pareille à celle que

tu viens de déposer sur ma tombe.

Ange prenait soin de moi sans me connaître. Elle était si gentille... Sa charité m'a permis de survivre plusieurs jours.

Un jour, j'ai décidé que j'avais suffisamment abusé de sa générosité.

J'avais si honte d'avoir volé de la nourriture que je

m'étais résolu à manger mes petites réserves : le pain sec que je gardais précieusement dans mon baluchon. Jamais il ne m'était venu à l'esprit que Malvina ait pu empoisonner le pain !

J'ai rapidement eu très mal au ventre, une douleur que je ne peux pas décrire. En quelques heures, mon état s'est aggravé et j'ai perdu connaissance.

Par la suite, le temps a cessé d'exister. J'étais devenu un courant d'air. Puis, un jour, quand tu as demandé mon aide, j'ai pu reprendre vie, mais pas au-delà des limites du cimetière. Si j'en sors, je deviens une lumière.

Troublée par l'histoire déchirante de mon ami, je verse une larme que je ne peux pas retenir. Ange me regarde avec douceur.

— Quand Cléopold est mort, on a appris son identité parce qu'il avait sur lui un mouchoir avec son nom brodé dessus. L'année de sa naissance sur la pierre n'est pas exacte, on l'a devinée à l'apparence de Cléo.

Personne ne sait vraiment quand il est né. Le curé était très attristé.

Il a fait rechercher la famille de ce jeune orphelin, mais en vain. En désespoir de cause, il l'a fait enterrer ici discrètement. Quand le curé m'a informée par hasard du décès d'un garçon blond que nul ne connaissait dans les parages, il était trop tard.

J'étais moi-même déjà très malade, et la tristesse a eu raison de ma santé. J'ai suivi Cléo dans la tombe peu de temps après, m'explique-t-elle.

Le visage de Cléo est défait. Il semble revivre les événements comme si c'était hier. Je viens de comprendre aussi pourquoi il n'accepte plus de charité. Il se sent

responsable du triste sort de
sa protectrice.

Chapitre 14

Tant de questions...

— C'est tellement triste ! Cléo, c'est épouvantable, ce que tu as vécu !

Cléopold hoche la tête et reprend la parole pour me raconter le reste de l'histoire.

— Malvina m'avait menacé de ne jamais me laisser en

paix. Moi, je lui ai dit que je n'étais pas né pour être malheureux, que j'aurais un jour une seconde chance. C'est pour ça que je n'ai jamais cessé d'errer dans les parages.

— Tu as vu les années défiler depuis 1903 ? Toutes les inventions, les événements...

Cléopold secoue la tête tristement.

— Jusqu'à ce que tu arrives, Zoélie, j'étais captif du cimetière. Je n'ai donc pas pu voir le reste du monde évoluer. De plus, je ne pouvais pas parler comme je te parle maintenant, je n'étais qu'un courant d'air. Je pouvais percevoir les choses qui se

passaient sur le site, mais
pas celles au-delà du terrain.
J'entendais les histoires
que les gens se racontaient,
mais je ne pouvais pas
intervenir comme je le peux
maintenant. J'ai finalement
pu élargir mon territoire
après t'avoir connue, mais
seulement sous forme
d'énergie lumineuse.

— Alors, c'est toi, les flashs que je vois partout !

— Oui, c'est bien moi. Cette fois où tu es tombée dans l'escalier…

— Je le savais qu'il y avait eu quelque chose d'anormal ! Je n'arrivais pas à croire que je n'avais pas une seule égratignure. Tu me suivais ?

— Je ne te suivais pas vraiment, me corrige Cléo.

C'est plutôt comme si je n'avais pas le choix. Tu me tires avec toi partout où tu vas, en fait. Et j'apparais quand je sens que tu le souhaites, sinon, je reste tranquille.

— Wow... dis-je avec fascination.

Puis, une question inquiétante me vient à l'esprit :

— Même aux toilettes ?

Mon ami éclate de rire.

— Oui ! Mais ça m'est égal ! Tant que tu n'es pas en danger de tomber dans la cuvette !

— Grand comique...

Tout ce qu'il me raconte est si surréel. J'ai tendance à regarder de tous les côtés,

je cherche encore la caméra cachée.

— Donc, si je comprends bien, pendant plus d'un siècle, tu étais prisonnier du cimetière, sans pouvoir te montrer. Maintenant, tu peux aller où je vais et je suis la seule à te voir ?

— C'est exact.

— Mais dès qu'on est sur le trottoir, tu redeviens invisible ?

— C'est ça...

— Est-ce que ça peut changer ? Je veux dire... Est-ce qu'un jour tu pourras venir avec moi sans être une étoile filante ? Et aller où bon te semble sans moi ?

Un silence se glisse entre nous. Mon regard passe de

Cléo, vêtu de ses haillons, à Ange dans sa robe jaune. Ils semblent si… réels, j'ai l'impression d'être avec des vivants. Je pense que je viens de trouver de véritables amis.

Puis, Ange nous contemple tous les deux, son sourire s'élargissant.

— Mes amis, dit-elle, je crois que le temps est venu de réessayer. Je pense, Cléo, que tu pourras marcher avec Zoélie hors du cimetière !

Cléo et moi dévisageons notre amie.

— Vous croyez que le fait que Zoélie sache ce que nous sommes me donne ce pouvoir ? demande Cléopold d'une voix excitée.

— J'en suis convaincue, dit-elle d'une voix douce. Votre amitié vient de prendre une nouvelle forme.

Plus vous vous rapprocherez, plus tu seras fort.

— Nous n'avons rien à perdre à tenter le coup ! dis-je avec entrain. Mais, cette fois-ci, je te ne toucherai pas ! Je ne tiens pas à tomber dans les pommes ! Alors, tu es prêt, Cléo ?

— Croisons les doigts !

Quelques secondes plus tard, nous sommes tous les trois à quelques pas du ciment blanc qui sépare la zone du cimetière de celle de la « vraie vie » ; mon cœur bat fort. Si Cléo réussit à passer la frontière sous sa forme humaine, nous aurons tout un monde de possibilités à explorer ensemble !

À suivre...

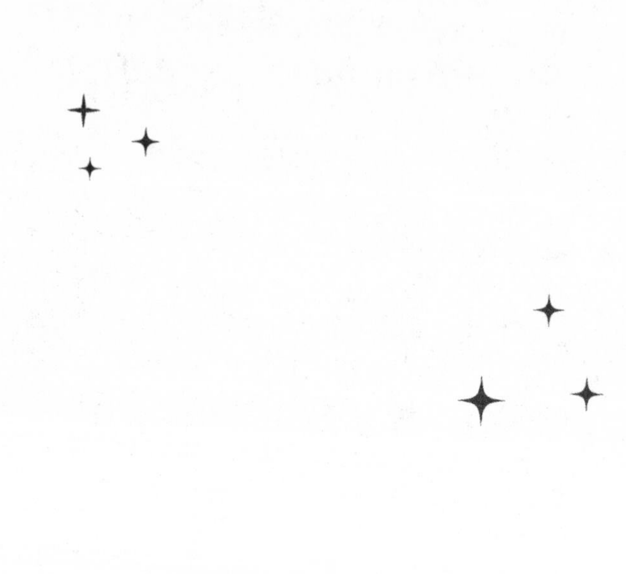

lesmalins.ca

3e réimpression octobre 2016